這是一位父親
還是圖表上的一個數字

This is the father
or a number on a chart

——Michael Palmer,
The Village of Reason

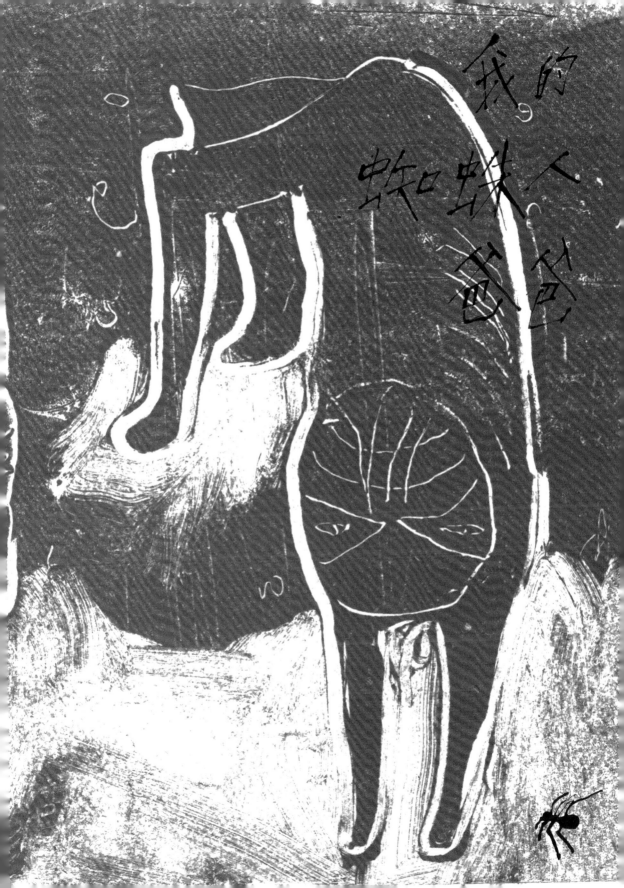

爸爸死了。

再也沒有人對媽媽說惡毒的話。

我拿著槍。
砰砰砰地玩。
媽媽不會玩這種。

家裡，終於安靜了下來。

爸爸摯愛的大音響像棺材一樣被扛出去了。

我聽見媽媽曬衣服輕微的抖動聲。

還有微微的洗衣的味道。

每天，媽媽會講很多故事給我聽。
我要聽幾個都可以。
沒有爸爸的大聲音，
家裡很平靜。

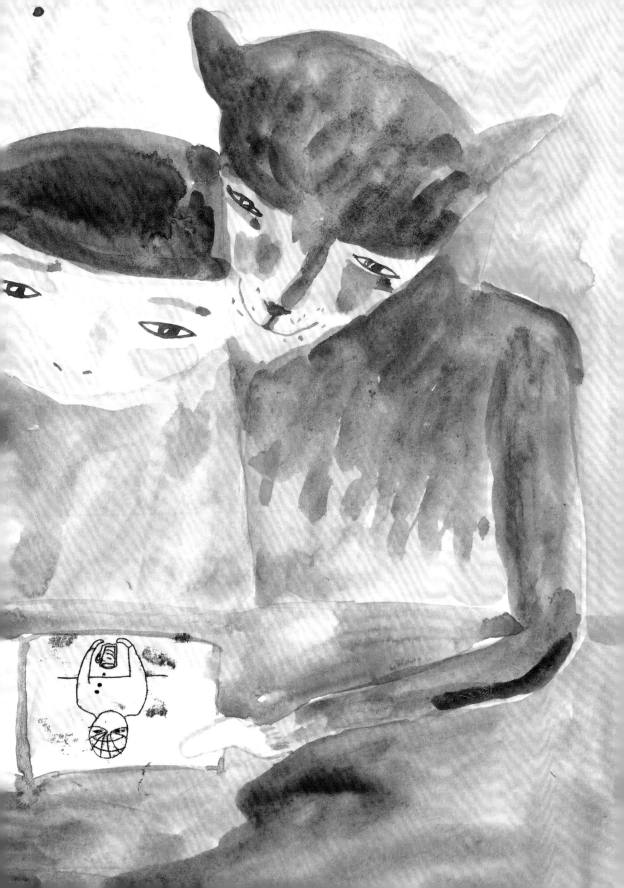

早上，不再有爸爸的鬧鈴聲。

半夜，也不會有爸爸喝完酒推開門的聲音。

「爸爸永遠不會回來了。
他變成了一隻蜘蛛。」
媽媽說。

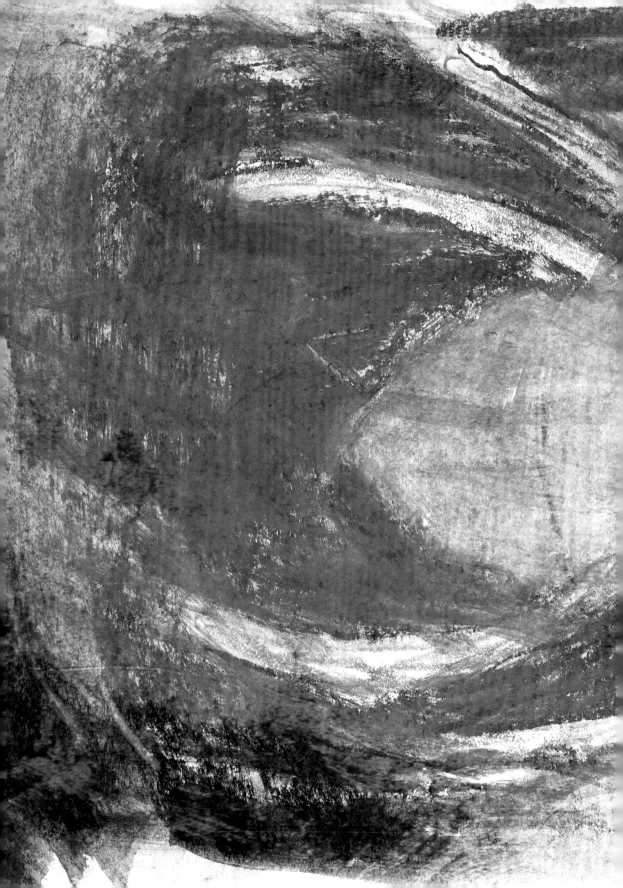

有一天晚上，我的蜘蛛人爸爸來找我了。

爸爸興奮地說：
「布布！我們來玩蜘蛛人的遊戲！」

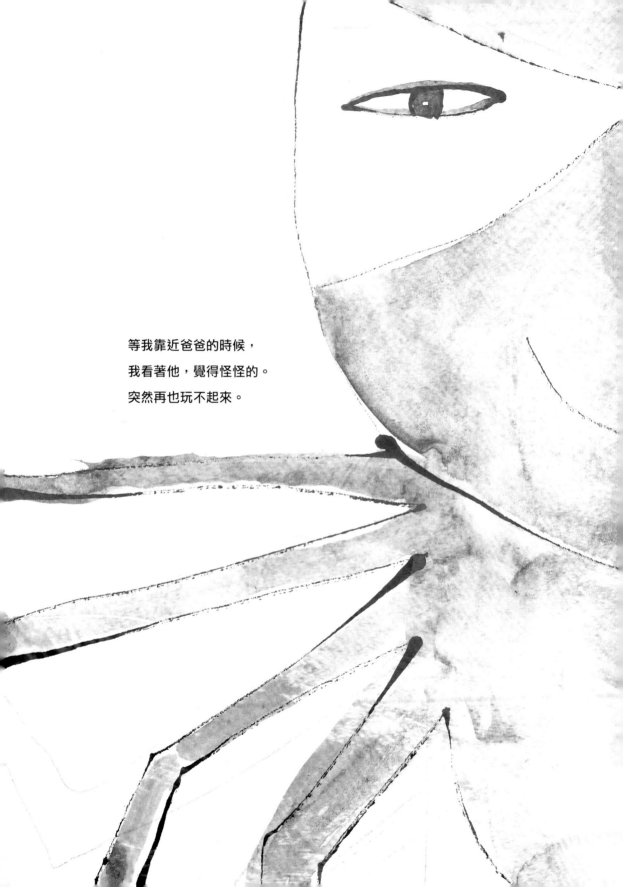

等我靠近爸爸的時候，
我看著他，覺得怪怪的。
突然再也玩不起來。

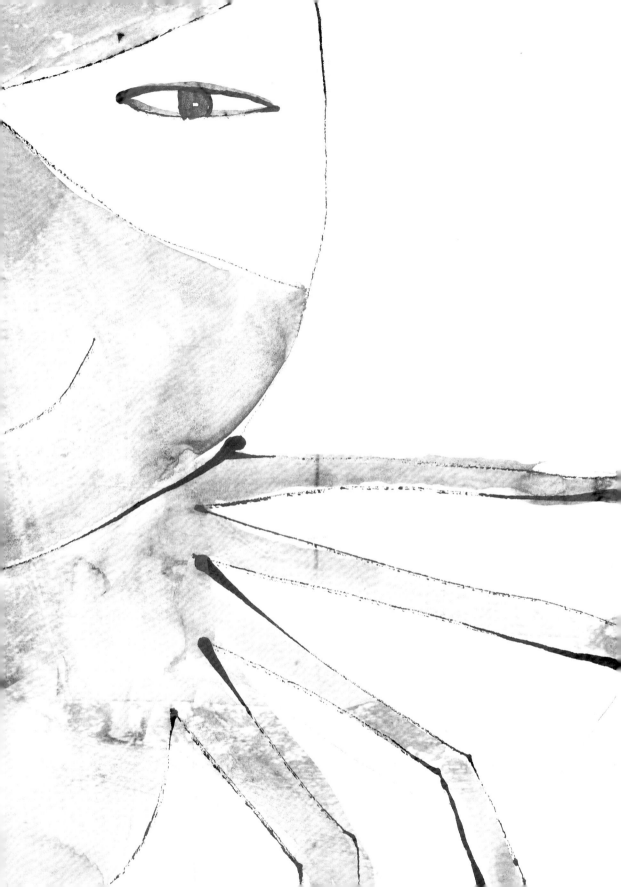

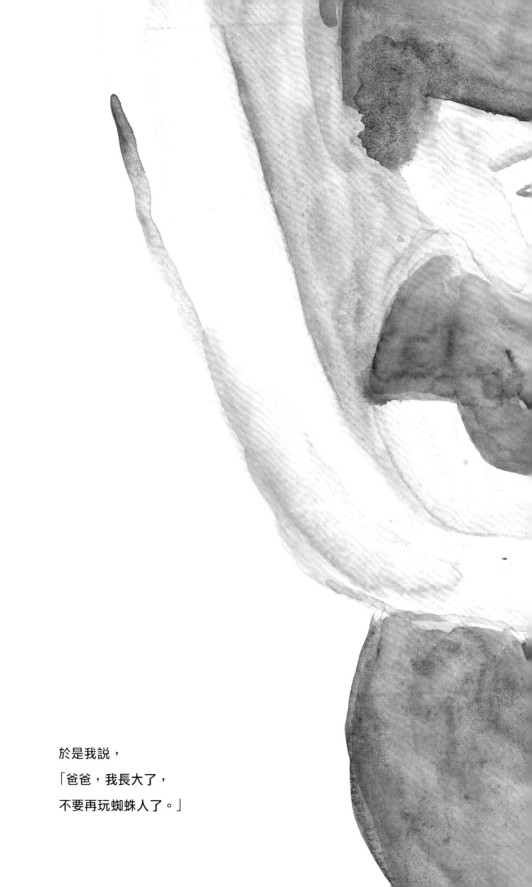

於是我說，

「爸爸，我長大了，

不要再玩蜘蛛人了。」

沒有爸爸陪我玩，
我一樣每天去學校。

春天來的時候，
我在海邊挖沙。
我把蜘蛛人埋到了很深很深的沙裡。

沒有人知道。

「回去吧爸爸！」
「不要再來找我了。」

這是一朵罌粟花
還是故事的結尾

This is a poppy.
This an epilogue.

——Michael Palmer,
The Village of Reason

（後記）

寫在兒子四歲的畢業典禮當天，

寫完這個故事我一陣毛骨悚然。

我拍了一些他跳舞的照片。

好像什麼都沒有拍到。

一切只是我用相機在人群裡尋找他的證據。

「身為作家或說書人，你要試著去說只有你才能說的故事，去講你忍不住想講的故事；去講述那些就算沒有觀眾，你還是會說給自己聽的故事。就說出來吧。去述說那些不小心洩漏出真實的你的故事。」
　　　　　　——尼爾・蓋曼(Neil Gaiman)，《從邊緣到大師：尼爾蓋曼的超連結創作之路》，頁283。

作者介紹｜馬尼尼為 maniniwei

美術系卻反感美術系。停滯十年後重拾創作。

著散文《沒有大路》、詩集《我和那個叫貓的少年睡過了》、繪本《詩人旅館》等數冊。

作品入選台灣年度詩選、散文選。另也寫繪本專欄文逾百篇。偶開成人創作課。

獲國藝會視覺藝術、文學補助數次。目前苟生台北。育一子二貓。

「請不要問這是給大人還是小孩看的，繪本沒有界限。」

我的蜘蛛人爸爸

作者 / 繪者	馬尼尼為
媒材	墨、水彩、炭精於模型紙

編輯	廖書逸
設計	張家榕
發行人	林聖修

出版	啟明出版事業股份有限公司
地址	台北市敦化南路二段 59 號 5 樓
電話	02–2708–8351
傳真	03–516–7251
網站	www.chimingpublishing.tw
服務信箱	service@chimingpublishing.tw

法律顧問	北辰著作權事務所
印刷	漾格科技股份有限公司

總經銷	紅螞蟻圖書有限公司
地址	台北市內湖區舊宗路二段 121 巷 19 號
電話	02–2795–3656
傳真	02–2795–4100

初版	2019 年 5 月
ISBN	978–986–97054–9–3
定價	NT$400　HK$110

國家文化藝術基金會
National Culture and Arts Foundation
NCAF

財團法人國家文化藝術基金會補助